University of Worcester

Information & Learning Services

Henwick Grove, Worcester
WR2 6AJ Telephone: 01905 855341

Return on or before the last date stamped below

(PLEASE BE AWARE THAT A RECALL PLACED BY ANOTHER
STUDENT WILL CHANGE THE DUE BACK DATE)

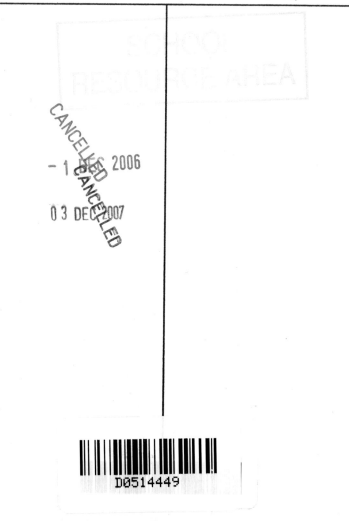

CANCELLED
CANCELLED

– 1 DEC 2006

0 3 DEC 2007

D0514449

© Del texto: Vicente Muñoz Puelles, 2003
© De las ilustraciones: Noemí Villamuza, 2003
© De esta edición: Grupo Anaya, S. A., 2003
Juan Ignacio Luca de Tena, 15. 28027 Madrid
www.anayainfantilyjuvenil.com
e-mail: anayainfantilyjuvenil@anaya.es

1.ª edición, abril 2003; 2.ª impr., julio 2003
3.ª impr., junio 2004; 4.ª impr., febrero 2005

Diseño: Manuel Estrada

ISBN: 84-667-2557-1
Depósito legal: M. 6.803/2005

Impreso en ANZOS, S. A.
La Zarzuela, 6
Polígono Industrial Cordel de la Carrera
Fuenlabrada (Madrid)
Impreso en España - Printed in Spain

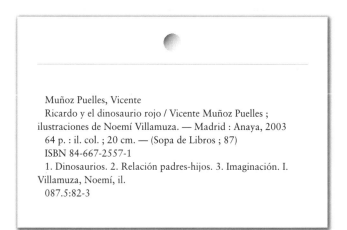

Muñoz Puelles, Vicente
Ricardo y el dinosaurio rojo / Vicente Muñoz Puelles ;
ilustraciones de Noemí Villamuza. — Madrid : Anaya, 2003
64 p. : il. col. ; 20 cm. — (Sopa de Libros ; 87)
ISBN 84-667-2557-1
1. Dinosaurios. 2. Relación padres-hijos. 3. Imaginación. I.
Villamuza, Noemí, il.
087.5:82-3

Ricardo y
el dinosaurio rojo

SOPA DE LIBROS

Vicente Muñoz Puelles

Ricardo y el dinosaurio rojo

Ilustraciones
de Noemí Villamuza

ANAYA

Para Laura,
que no aparece esta vez.
<small>PAPÁ</small>

Ricardo y mamá nadaban y
chapoteaban en el río. Era un
río tranquilo y poco profundo,
de aguas transparentes.

Papá iba y venía a lo largo
de la orilla, haciendo fotos.

A papá le gustaba fotografiarlo
todo.

Cuando Ricardo le tiraba agua
con las manos, mamá gritaba
como si estuviese muy asustada:

—¡Socorro, socorro!

Y se reía a través de las salpicaduras.

De pronto, le enseñaba los dientes y ponía una cara muy feroz.

Al ver aquella cara, Ricardo huía nadando con todas sus fuerzas.

Mamá fingía que le costaba alcanzarlo.

—¡Socorro, socorro! —gritaba Ricardo.

En vez de comérselo a mordiscos, mamá se lo comía a besos.

Papá era tan friolero que nunca se bañaba en el mar ni en el río. En invierno iba por casa envuelto en una manta, y se llenaba la bañera con agua muy caliente.

Cuando Ricardo abría la puerta del baño, se encontraba con una nube de vapor que lo cubría todo.

Era como la niebla, aunque él nunca había visto una niebla tan espesa.

—¡Papá, papá! ¿Dónde estás?

Se oía un chapoteo amistoso.

—Estoy aquí, en la bañera —decía papá.

Si uno se quedaba mucho tiempo en la puerta, el vapor se iba dispersando. Al final, Ricardo distinguía los azulejos empañados y la cabeza de papá asomando entre la espuma.

Pero ahora no estaban en casa sino de vacaciones, y el agua del río estaba demasiado fría para que papá se bañase.

Lo habían perdido de vista cuando oyeron sus gritos:

—¡Venid, venid! ¡Mirad esto!

—Seguro que papá quiere fotografiarnos en algún sitio nuevo —dijo mamá.

Hicieron como si no le hubieran oído, y continuaron

jugando a
salpicarse y
a perseguirse. Pero
no les sirvió de nada,
porque papá volvió
a llamarles:

—¿Os pasa algo?
¡Venid de una vez!

Mamá y Ricardo salieron
del agua, se secaron con las
toallas y fueron en su busca.

Papá llevaba la cámara en
la mano y una mochila en la
espalda. Miraba con atención
el suelo rocoso.

Al acercarse, mamá y Ricardo
distinguieron unas huellas anchas
y profundas.

Parecían las marcas que dejan los cubos en la arena de la playa, pensó Ricardo. Solo que eran mucho mayores y no estaban en la arena, sino en la roca.

—¡Huellas de dinosaurio! —exclamó mamá.

Las huellas no eran del todo redondas. En el borde de cada una había unas marcas de uñas.

—Creía que los dinosaurios ya no existían —dijo Ricardo.

—Y ya no existen —le aclaró mamá—. Se extinguieron.

—¿Se extinguieron? —repitió Ricardo, que no estaba seguro del significado de aquella palabra.

—Se fueron para siempre.

—Son unas huellas muy antiguas —añadió papá—. Tienen millones de años.

Millones de años eran muchos. Ricardo solo tenía seis, y además los había cumplido hacía poco.

Dentro de cada huella cabían juntos los pies de los tres: de mamá, de papá y de Ricardo.

Papá era el único que llevaba zapatos.

A Ricardo le parecía normal que sus pies descalzos y los de mamá no dejasen huellas en la roca. Pero, ¿por qué papá tampoco dejaba las suyas,

si era casi tan grande y pesado como un dinosaurio?

Papá le explicó que, millones de años antes, en lugar de la roca había un terreno blando.

—¿Como la plastelina? —preguntó Ricardo.

—Como la plastelina. El dinosaurio lo pisó, y luego el terreno se transformó en roca. ¿Nunca te has bañado en una huella de dinosaurio?

—No, pero me gustaría —contestó Ricardo.

Papá llevaba una cantimplora medio vacía en la mochila. La llenaron con agua del río. Luego dejaron caer el agua en una huella.

Hicieron varios viajes de ida y vuelta.

Ricardo se sentó en la huella con las piernas fuera, y chapoteó como si estuviese en una bañera. Solo le faltaba un poco de jabón, para hacer espuma.

En esa postura lo fotografió papá.

Ricardo pensaba en la cara que pondrían sus amigos al ver las fotos. Seguro que ninguno de ellos se había bañado en una huella de dinosaurio.

Antes de irse, Ricardo dejó en el barro de la orilla las huellas de sus pies descalzos. ¿Se convertirían también en roca, millones de años después? ¿Las encontraría otro niño?

En el coche, durante el viaje
de vuelta a casa, Ricardo pensaba
sin cesar en el dinosaurio.

Se lo imaginaba de un modo
o de otro, según la forma y el
color de los coches con los que
se cruzaban.

Si se cruzaban con un coche
grande y cuadrado, lo que
papá llamaba un todo terreno,

Ricardo pensaba en un
dinosaurio con el cuerpo
cubierto de placas.

Si se cruzaban con un coche
deportivo, bajo y veloz,
pensaba en unos dinosaurios
carnívoros muy rápidos, de
dientes afilados, que había
visto en una película.

Si se cruzaban con un coche
corriente, como el que papá
conducía, pensaba en un
dinosaurio pequeño y
escurridizo, que vivía en un
rebaño con otros muchos.

Pero ninguno de aquellos
dinosaurios le atraía demasiado.

Eran los dinosaurios
de los demás, no el suyo.

Quería un dinosaurio nuevo,
distinto, un dinosaurio inventado
por él.

Cuando llegaron a casa fue
a su habitación.

Tenía dos dinosaurios, uno
de goma y otro de peluche.
Del dinosaurio de goma le
gustaba el cuello largo, y
del de peluche el color rojo.

En una enciclopedia
encontró una cabeza de ojos
grandes y sonrisa de
cocodrilo, y decidió que era
perfecta para su dinosaurio.

Tras pensárselo mucho,
le añadió una cola afilada
y un cuerpo grueso como
un barril.

Por último le puso unas
patas de elefante, anchas y
acolchadas, que dejaban unas
huellas como las que habían
visto en la roca.

¡Ya lo tenía! Lo repasó varias veces con la imaginación y luego, para estar seguro de no olvidarlo, lo dibujó con un lápiz de color rojo.

En el papel le gustó aún más.
Con una chincheta, colgó el
dibujo de un panel de corcho.

—¡Mamá, papá! —gritó—.
¡Mirad lo que he hecho!

Mamá dijo que era el
dinosaurio más bonito que
había visto y papá le contó
que de pequeño había dibujado
uno igual.

—¿Igual? —le preguntó
Ricardo, preocupado.

—Bueno, no exactamente
—le contestó papá—. La verdad
es que el mío no tenía el cuello
tan largo. Ni la cola.

Cuando papá y mamá se
fueron, Ricardo se tumbó en la
cama y cerró los ojos, para ver

mejor al dinosaurio en el río.
Se divertía chapoteando en
el agua con su larga cola,
y al salir dejaba sus huellas
en un terreno blando como
la plastelina.

Caminaba por un paisaje
prehistórico, bajo un cielo

prehistórico. Comía hojas de
unas palmeras muy altas. Pájaros
prehistóricos volaban sobre él.

Era su dinosaurio, un
dinosaurio de color rojo.

El dinosaurio dobló las patas y
recostó su largo cuello sobre unas
rocas que le servían de almohada.

Esa noche, Ricardo tuvo una pesadilla. Soñó que iba de la mano de mamá, por una calle llena de gente. Se soltaba y descubría que se había perdido.

En el sueño quería llamar a mamá, pero al principio le daba vergüenza y luego la voz no le salía.

De pronto, el suelo temblaba y la gente se apartaba. Ricardo levantaba la cabeza. Era el dinosaurio rojo, que llevaba la cola erguida y sonreía con su boca de cocodrilo.

Le hacía un gesto a Ricardo con la cola, para que le siguiera, y le indicaba el camino a casa.

Al despertarse, Ricardo echó
de menos al dinosaurio rojo.
Le hubiera gustado que saliera
del dibujo o del sueño, y que
pasara el día entero con él,
jugando y haciéndole
compañía.

Habría sido como tener
un hermano muy gordo,
que no cabía por las puertas.

Desde entonces, cuando le
asaltaba una pesadilla o se
encontraba demasiado solo,
el dinosaurio rojo acudía a
su lado.

Si se trataba de una pesadilla,
el dinosaurio le salvaba de los
peligros y le defendía del ataque
de otros dinosaurios.

Cuando se encontraba
demasiado solo, el dinosaurio
aparecía en su habitación.
Lo notaba porque el suelo
temblaba un poco.

Nunca le veía entrar por
la puerta, y por eso no sabía

cómo pasaba por ella su cuerpo
de barril. Pero se movía con
cuidado y no rompía nada.

Permanecía en silencio a los
pies de la cama, con la cola
enroscada, mientras Ricardo
leía o dibujaba.

A ratos le llegaba su aliento,
que olía a menta.

Ricardo intentaba jugar con él.
Le enseñaba un tablero de damas
o un parchís, pero el dinosaurio
se limitaba a mirarlo con sus ojos
grandes, sin tocar las fichas ni los
dados.

Y es que, ¿cómo iba a mover
una ficha o a echar los dados
con aquellas patas de elefante?

Ricardo jugaba en su lugar.
Primero echaba los dados por
el dinosaurio y luego por sí
mismo.

Pero casi siempre se
conformaba con tenerlo
al lado. Eso bastaba para
que se sintiera mejor.

Una tarde, mamá entró
en su habitación cuando el
dinosaurio aún estaba allí.

Ricardo se asustó mucho.
Temía que mamá gritase de
miedo o que lo echara. Pero
mamá no dijo nada, y él se
dio cuenta de que no lo veía.

La vuelta al colegio le costó
un poco, porque no quería
separarse del dinosaurio.

Pero le gustaban los libros,
donde siempre había cosas
nuevas que aprender, y

le divertía volver a encontrarse
con sus amigos.

Les enseñó las fotos de las
huellas, pero no les habló de
su dinosaurio. Sabía que no
iban a creerle, y que le llamarían
mentiroso.

En clase de plástica dibujó
un dinosaurio como el que tenía
en su habitación.

La profesora le dijo que
nunca había visto un dinosaurio
rojo.

Tampoco él lo había visto
nunca, antes de dibujarlo.

Durante los recreos, sus amigos
se juntaban con niños mayores,
de otras clases, y jugaban al
fútbol. Pero Ricardo no se
atrevía a jugar con ellos.

Tenía miedo de fallar un pase
y de que se burlaran. Además,
le parecía que golpeaban el balón
con mucha fuerza, y que gritaban
demasiado.

Se había acostumbrado
al dinosaurio tranquilo
y a su compañía silenciosa.

Paseaba por el patio o se
quedaba en clase, pensando
en su dinosaurio.

La profesora se fijó en él.

—¿Por qué no estás con los
demás niños? —le preguntó.

—Siempre están jugando al
fútbol —le contestó Ricardo.

—¿Y no quieres jugar tú
también?

—Sí, pero no sé si lo haré tan
bien como ellos.

—Ya aprenderás —le dijo
la profesora—. Solo tienes que
intentarlo.

Al día siguiente, en el recreo,
se acercó a los demás niños.

—¿Puedo jugar con vosotros?
—les preguntó.

Le miraron con sorpresa.
Algunos eran sus mejores amigos,
pero nunca le habían visto jugar
al fútbol.

Empezó el partido. A Ricardo
le llegaba pocas veces la pelota,
y enseguida la perdía.

Impacientes, los niños mayores
le apartaban y se la quitaban.

Tropezó con un niño alto y
rubio, de su mismo equipo,
y se cayó.

Estaba levantándose
cuando notó un pequeño
temblor en el suelo y un olor
a menta.

Vio a su lado una huella
redonda, como las que dejaba
su dinosaurio, y más lejos otra,
y otra.

Los demás niños no parecían
verlas, pero para él no había
duda. Su dinosaurio estaba
allí para ayudarle.

Eso le animó.

En vez de aguardar a que
le llegara la pelota, fue en
su busca. Metió el pie y se
hizo con ella. Sorteó a uno,
y a otro.

El chico que hacía de portero puso cara de asombro, como si pudiese ver también al dinosaurio que se le acercaba.

Ricardo golpeó la pelota, que trazó una curva en el aire y fue a parar a las manos del portero.

Sus amigos se le acercaron,
le palmotearon la espalda.

Siguieron jugando hasta
que sonó el timbre.

Desde entonces, cada día
le pedían que jugase con ellos.
Pero él no siempre quería,
y unas veces les hacía caso
y otras no.

Ahora sabía que el dinosaurio
también estaba allí, en el colegio.
Cuando le necesitaba, Ricardo
notaba el temblor del suelo y
el olor a menta.

Por las tardes llegaba antes
a casa. Al cabo de un rato, el
dinosaurio se le aparecía en
el dormitorio y se le quedaba
mirando con sus ojos grandes.

Ricardo se preguntaba si
los demás niños no tendrían
también su animal protector:
un dinosaurio, un mamut
o un tigre.

Un día, al regresar del colegio,
el dinosaurio no se presentó.
Ricardo lo echó de menos,
y estuvo largo rato mirando
el dibujo y las fotos.

Le parecía que había pasado
mucho tiempo desde que se
había bañado en aquellas huellas.

El dinosaurio volvió a la tarde
siguiente.

Ricardo se alegró mucho de
verlo, pero el dinosaurio siguió
espaciando sus visitas.

Tampoco iba por el colegio,
o al menos Ricardo ya no
encontraba sus huellas en
el campo de fútbol.

Muy de tarde en tarde,
se le aparecía en los sueños.

Un año después o tal vez
más, Ricardo volvía del colegio.
Era un día de lluvia, y llevaba
una gabardina con capucha.
La capucha le venía grande,
y le obligaba a mirar al suelo.

Cerca de su casa, en la acera,
Ricardo descubrió unas huellas
menudas sobre el cemento
fresco.

Levantó la cabeza y vio un gato
muy pequeño de color naranja,
que se había refugiado en un
portal para escapar de la lluvia.

El gato estaba asustado.
Maullaba y se lamía las patas.

Ricardo lo tomó en brazos,
lo cubrió con la gabardina y
se lo llevó a casa.

Pensaba en el dinosaurio,
que había velado por él cuando
tenía miedo.

Ahora se sentía lo
suficientemente grande como
para cuidar del gato naranja.
Confiaba en que mamá le dejara
tenerlo.

Esa noche, Ricardo soñó por última vez con el dinosaurio rojo, que se divertía chapoteando en el río. Al salir dejaba sus huellas en el barro prehistórico y se alejaba moviendo la cola, como si se despidiera.

A los pies de la cama, el gato ronroneaba plácidamente.

Escribieron y dibujaron…

Vicente
Muñoz Puelles

—*Los libros que usted ha publicado en esta colección se dirigen a lectores de entre seis y ocho años, ¿se siente más cómodo escribiendo para ellos?*

—Me siento más cómodo, sí. Creo que a esa edad uno ya es suficientemente mayor para entender muchas cosas, que luego se olvidan o pierden importancia. Más tarde, a los diez o los doce, uno debería leer casi cualquier libro, incluso aunque no lo entienda bien del todo. Al menos eso creo. O quizá lo que me ocurre es que me gustaría haberme quedado exactamente en esa edad, entre los seis y los ocho.

—*El león de Correos, el ratoncito Pérez y el dinosaurio rojo, ¿considera importante que los niños se relacionen con los animales, mágicos o reales?*

—Creo que es importante que los niños se relacionen con animales, preferiblemente reales. Pero en las ciudades no suele haberlos, y además hay algunos animales con los que no podrían relacionarse de todas maneras, como es el caso del león de Correos y el del dinosaurio rojo. Así que los animales irreales o fantásticos son un sustituto inevitable. Incluso cuando el animal es real, suele haber algo mágico en la relación con él. Quizá forma parte de una herencia ancestral. Tendemos a idealizarlos, como tendemos a idealizar a las personas, y a atribuirles cualidades que no tienen, al tiempo que ignoramos algunas que sí tienen, porque la comunicación verdadera es imposible. En Ricardo y el dinosaurio rojo, el dinosaurio ayuda a Ricardo a crecer, a volverse maduro y responsable.

—*¿De dónde surge la idea de un dinosaurio rojo?*
—Mi hijo Ricardo está enamorado de los dinosaurios. Es la tragedia de su vida: haber nacido sesenta y cinco millones de años demasiado tarde. En cuanto al rojo, siempre fue mi color favorito.

Noemí Villamuza

Noemí Villamuza ha lo- *grado en relativamente poco tiempo, el recono-cimiento de los lectores (de texto e ilustración). Con este libro es el ter-cer trabajo que realiza con Vicente Muñoz Puelles, ¿se siente cercana a las historias de este autor?*

—Me gusta la manera en que Vicente presenta a sus personajes, siempre son niños con un mundo pro-pio. Es estimulante ilustrar personajes inquietos que se preguntan sobre el porqué de las cosas. Siempre la imaginación del protagonista mueve la historia.

—Un dinosaurio es un animal que gusta mucho a los niños, pero a la vez puede ser difícil de representar de manera que les resulte cercano, ¿en qué elementos se ha apoyado para crear este personaje?

—Crear el dinosaurio de Ricardo ha sido fácil. Él, Ricardo, puso una parte, porque explica qué características quiere que tenga su amigo; y la otra parte del trabajo, la que me correspondía a mí, tiene que ver con mi recuerdo infantil de los diplodocus en los libros escolares.

—*Óscar, Laura y Ricardo, son los niños creados por Vicente Muñoz Puelles y por usted, ¿tiene algún recuerdo especial de ellos?*

—Óscar siempre será un recuerdo de las antiguas sucursales de correos, con sus bocas felinas esperando letras. Laura un reflejo de los niños desdentados que esperan a un ratón misterioso y... ¡espero que Ricardo me preste a su dinosaurio alguna noche de trabajo, para que me haga compañía!

SOPA DE LIBROS

A PARTIR DE 6 AÑOS